KV-392-202

Título original: *Thrive in the Wild*

Concebido y producido por Weldon Owen Pty Ltd
59–61 Victoria Street, McMahons Point
Sydney NSW 2060, Australia

EDICIÓN ORIGINAL
Dirección editorial: Helen Bateman
Asesoría: George McKay
Diseño de concepto: Cooling Brown Ltd
Diseño: Kylie Mulquin
Dirección de imágenes: Trucie Henderson

EDICIÓN EN ESPAÑOL
Dirección editorial: Tomás García Cerezo
Gerencia editorial: Jorge Ramírez Chávez
Traducción: Ediciones Larousse, S.A. de C.V.,
con la colaboración de Rémy Bastien V.D.M.
Formación: Ediciones Larousse, S.A. de C.V.,
con la colaboración de Itzel Ramírez Osorno
Edición técnica: Roberto Gómez Martínez,
Susana Cardoso Tinoco
Adaptación de portada: Pacto Publicidad, S.A.

www.larousse.com.mx

Primera edición en español, octubre 2011.

ISBN: 978-607-21-0407-5

animalplanet.com
animalplanetbooks.com

Impreso en China - *Printed in China*

Extraño y maravilloso

Supervivencia en el mundo salvaje

Margaret McPhee

LAROUSSE

Contenido

6 **AMBIENTES EXTREMOS**

8 Lidiando con el frío

10 El largo sueño

12 Calor extremo

14 Conocedores del agua

16 Mar profundo

18 La vida en la cima

20 **PAREJAS DISPAREJAS**

22 Trabajando juntos

24 Una comida gratis

26 Acércate a los parásitos

28 Parásitos sobre gente

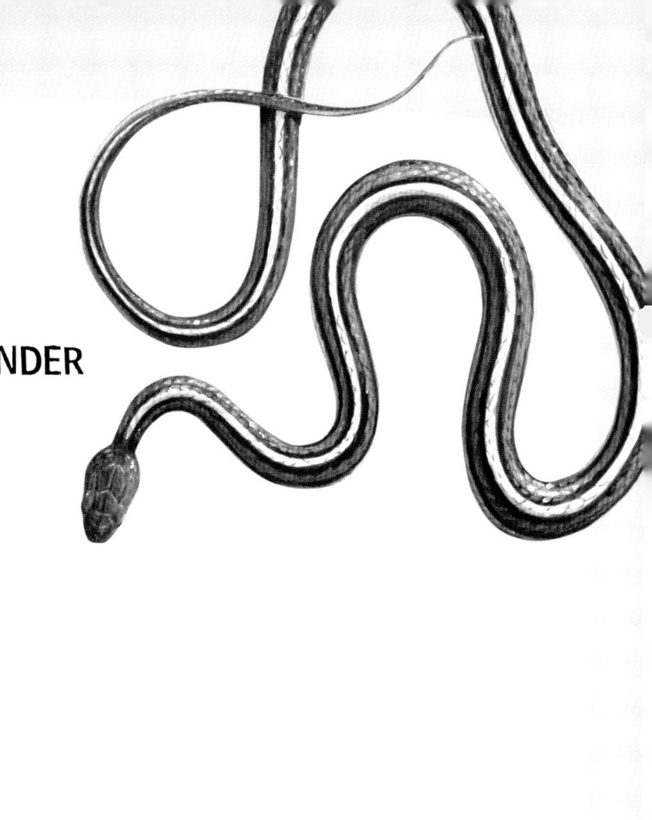

30 CARROÑEROS

32 Carroñeros marinos

34 Aves carroñeras

36 Carroñeros de tierra

38 Regreso a la tierra

40 EN MOVIMIENTO

42 Campeones migrantes

44 Viajeros por tierra

46 Acércate a los cangrejos

48 Voladores de gran alcance

50 Viajes oceánicos

52 CRECER Y APRENDER

54 Cuidando los huevos

56 Cuidando a las crías

58 Criando a un bebé

60 El grupo cuida a las crías

62 Glosario

64 Índice

AMBIENTES EXTREMOS

En la lucha por sobrevivir en casi cualquier medio ambiente, los animales buscan hogares que satisfagan su necesidad básica de alimento y su desarrollo en una temperatura adecuada. Algunos resisten el calor quemante con muy poca agua. Otros lidian con frío congelante y largos periodos sin alimento.

Los macacos japoneses viven más cerca de la región polar que cualquier otro mono.

Lidiando con el frío

Los animales y mamíferos polares desarrollan pelajes gruesos y una capa de grasa especial (*blubber* en inglés) justo debajo de la piel. Ésta los mantiene calientes y es una reserva de alimento para el invierno. En un estado parecido al sueño y en un refugio seguro, muchos pasan el invierno. Algunos insectos y peces tienen en su sangre químicos anticongelantes.

Nido en la nieve En el invierno, la bonasa americana de Norteamérica pasa la noche en una madriguera cavada en nieve profunda y polvorienta. El pájaro queda aislado del frío y bien escondido de los predadores.

Bolas de nieve y tinas

Durante la mitad del año, algunos macacos japoneses se ven impedidos para viajar debido a la nieve. Viven de su capa de grasa y comen corteza de árboles. Para dormir, se apretujan en grupos que aumentan en número conforme cae la temperatura. Se divierten haciendo bolas de nieve y rodándolas.

Los macacos japoneses, afortunados por vivir cerca de fuentes volcánicas, pasan gran parte del invierno congelante remojándose en las aguas calientes.

Caliente y seco

Traje solar Los pelos exteriores del pelaje del oso polar, llamados pelos de guarda, podrán parecer blancos, pero en realidad son transparentes y huecos. Atrapan calor proveniente del sol.

Rana de hielo En invierno, la rana de madera norteamericana se congela toda: su respiración y su corazón se detienen. El azúcar en sus fluidos corporales la protege y en la primavera se descongela, sin haber sufrido daño alguno.

¿En dónde están las hembras de los pingüinos emperador durante el invierno?

Confort helado Los pingüinos emperador macho se apretujan para sobrevivir al invierno ártico. El grupo se entremezcla continuamente, para que los que están afuera tomen un turno en el centro, que es hasta 20 ºC más caliente.

Traje de buzo A falta de una capa gruesa de grasa, la foca peluda se ayuda con su pelaje denso e impermeable con aceites de su piel; así aísla el frío mientras caza alimento en aguas heladas.

Abrigo impermeable Los ásperos pelos exteriores del toro almizclero hacen deslizar la nieve y la lluvia. El pelaje inferior suave y grueso se mantiene seco y calienta al animal en el invierno; con la primavera se cae este pelaje.

Piel de lujo Un pelaje de piel fina y densa calienta a la chinchilla en su hogar en las montañas altas. De cada poro crecen hasta 70 pelos. Los animales fueron muy cazados por su piel y hoy en día son raros.

A: *Las hembras pasan el invierno pescando, mientras los machos protegen a sus polluelos del frío.*

El largo sueño

Para resistir el invierno y la escasez de alimento, algunos animales hibernan, estado parecido al sueño. Primero forman una capa de grasa, que será combustible para su cuerpo. Cuando se instalan en una madriguera segura, su temperatura corporal desciende, y con ella su respiración y su ritmo cardiaco. A menos energía, necesitan menos comida.

Enfriándose Las víboras obtienen su energía del calor del sol. Conforme se acerca el invierno, se vuelven inactivas. Para no congelarse, las víboras de lazo, ya torpes, se reúnen en madrigueras profundas.

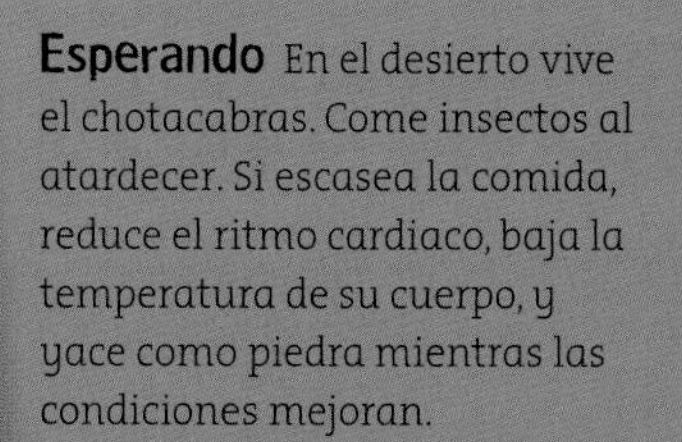

Esperando En el desierto vive el chotacabras. Come insectos al atardecer. Si escasea la comida, reduce el ritmo cardiaco, baja la temperatura de su cuerpo, y yace como piedra mientras las condiciones mejoran.

Ciclo inverso A diferencia de la mayoría de los animales que hibernan y que se refugian en sus madrigueras durante el invierno, los equidnas comienzan a hibernar hacia fines del verano. Reaparecen a mediados del invierno para reproducirse.

¿Puedes despertar a un animal que está hibernando?

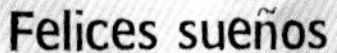

Felices sueños
El lirón engorda durante el verano, en preparación para su largo sueño invernal. Hiberna en un nido sobre la tierra, haciéndose pelota, apretadamente.

Datos animales

1. Muchos murciélagos hibernan en cuevas, colgados de cabeza. Se envuelven con sus alas apretadamente para mantenerse a salvo del frío.

2. Las ardillas y las ardillitas listadas juntan nueces y semillas en sus nidos. En invierno, despiertan de vez en cuando para comer.

3. Cuando hibernan, las mofetas tapian la entrada de su madriguera para mantener el calor adentro y el frío afuera.

Bebés invernales Las osas polares dan a luz en una madriguera excavada en la nieve. La madre no volverá a comer hasta la primavera, de manera que su ritmo cardiaco decae para utilizar menos energía. Proporciona a sus oseznos una leche rica en grasa.

A: *No. La hibernación no es como el sueño humano; es mucho más profunda.*

Calor extremo

Para evitar el calor del día, la mayoría de los animales del desierto permanecen en grietas profundas entre rocas o en madrigueras, y de noche forrajean o cazan. El color pálido de muchos refleja la luz solar y absorbe menos calor. Otros se enfrían con vasos sanguíneos de sus largas orejas o pliegues extras de piel.

Orejas grandes
El zorro del Sahara vive en el desierto del mismo nombre. Sus orejas extragrandes tienen vasos sanguíneos cercanos a la piel, que liberan calor corporal. También, durante la noche, sus orejas le ayudan a encontrar presas.

Abstemio La rata canguro de los desiertos de Norteamérica obtiene toda la humedad que necesita de semillas y plantas. Vive su vida entera sin beber jamás ni siquiera una gota de agua.

Baile en suelo caliente Para enfriar sus patas, la lagartija de dedos de fleco se equilibra levantando de la arena caliente una pata delantera y la pata trasera opuesta. Después cambia al otro par de patitas.

Datos animales

1. La hormiga plateada del Sahara busca comida en la parte más calurosa del día, cuando las lagartijas predadoras se resguardan del calor.
2. En cualquier momento, conforme se desliza la víbora de cascabel, sólo una pequeña parte de su cuerpo toca la arena caliente.
3. La tortuga desértica del desierto de Mojave almacena en su vejiga cerca de un litro de agua para utilizarla cuando sea necesario.

¿Qué hace el canguro para refrescarse?

Equipo de supervivencia
La joroba del camello contiene una reserva de grasa. El animal puede convertirla en energía y agua para ayudarse a sobrevivir en el desierto caliente y agreste.

A: *Lame sus antebrazos y también embarra saliva sobre su estómago.*

Conocedores del agua

Las criaturas de áreas áridas tienen muchas maneras de lidiar con lluvias escasas e impredecibles. Algunas tienen la habilidad para reciclar líquido de los desechos de su cuerpo y por lo tanto excretan muy poca humedad. Otras no necesitan beber para nada y en cambio obtienen todos sus fluidos de su comida.

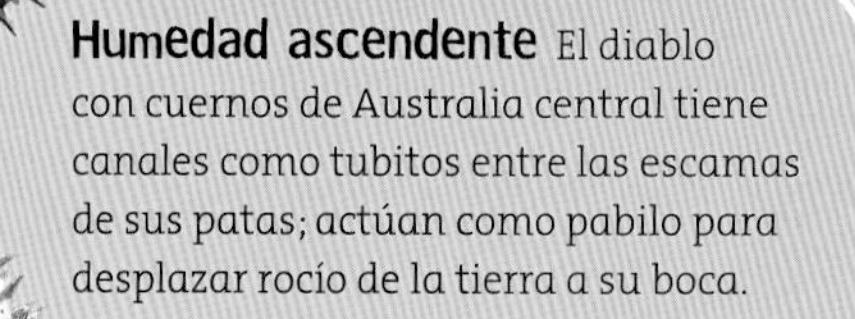

Humedad ascendente El diablo con cuernos de Australia central tiene canales como tubitos entre las escamas de sus patas; actúan como pabilo para desplazar rocío de la tierra a su boca.

Esperando la lluvia

Para sobrevivir entre las lluvias infrecuentes de Australia central, la rana almacenadora de agua llena su vejiga con agua y después cava una madriguera. Capas de piel vieja forman una bolsa impermeable encima de la rana para reducir la pérdida de la humedad almacenada en su cuerpo.

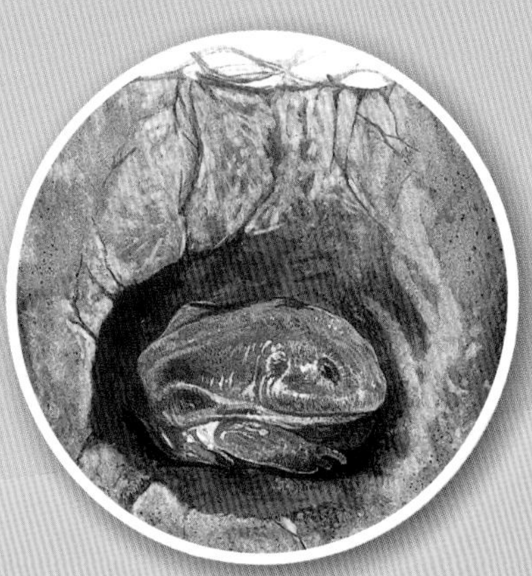

Los procesos vitales de la rana disminuyen mientras la rana espera en su cámara a que llegue un aguacero.

Cuando la lluvia reblandece el suelo calcinado, la rana escarba hacia la superficie para alimentarse y reproducirse.

Gotas de rocío Cuando se desplazan neblinas a través del desierto de Namib en África, el escarabajo de neblina se equilibra con su cola apuntando hacia arriba para atrapar la humedad del viento hidratado sobre su espalda. Y así, la humedad cae goteando hacia sus órganos bucales.

Cargadora de agua

Las ortegas de arena viven en las tierras secas de África y Asia y cada día vuelan a buscar agua. Mientras beben, los padres machos empapan las plumas absorbentes de su pecho para llevarles agua de regreso a sus polluelos.

Vasija de almacenamiento

Algunas hormigas bote de miel son contenedores vivientes. Guardan grandes cantidades de agua en su estómago enormemente hinchado para proporcionársela al resto del nido durante épocas de sequía.

Mar profundo

En las oscuras profundidades del océano la comida escasea. Las plantas no crecen, y las criaturas se comen unas a otras, o filtran las aguas buscando fragmentos de comida que bajan flotando de arriba. La boca inmensa de muchas zampa presas y su estómago elástico lidia con comidas grandes e irregulares.

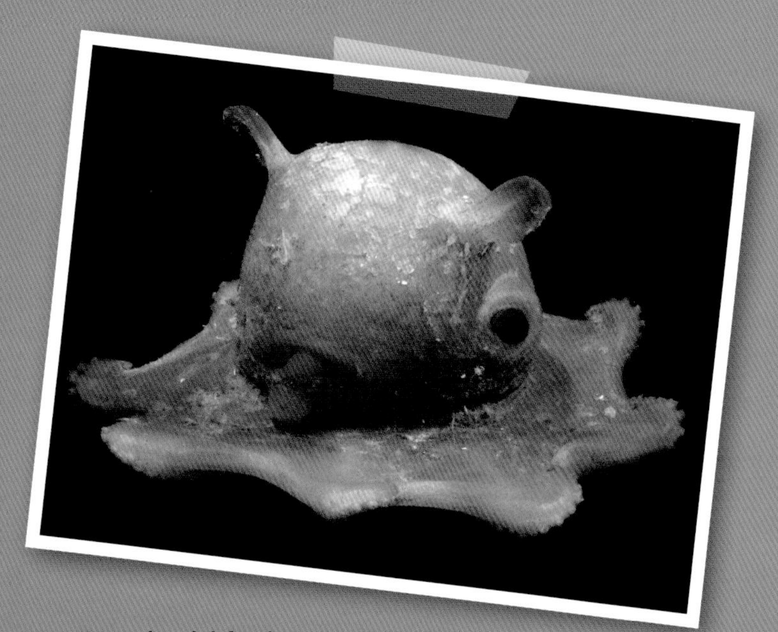

Morador del fondo Aletas grandes parecidas a orejas sobre su cuerpo en forma de cabeza le ganaron a este pulpo del mar profundo el nombre de "Dumbo", el elefante de los dibujos animados. Se cierne justo arriba del lecho del océano buscando presas pequeñas.

Predador temible El calamar gigante mide hasta 20 m de largo y tiene ojos tan grandes como platos de mesa. Caza en las profundidades negras, atrapando presas con poderosas copas succionadoras.

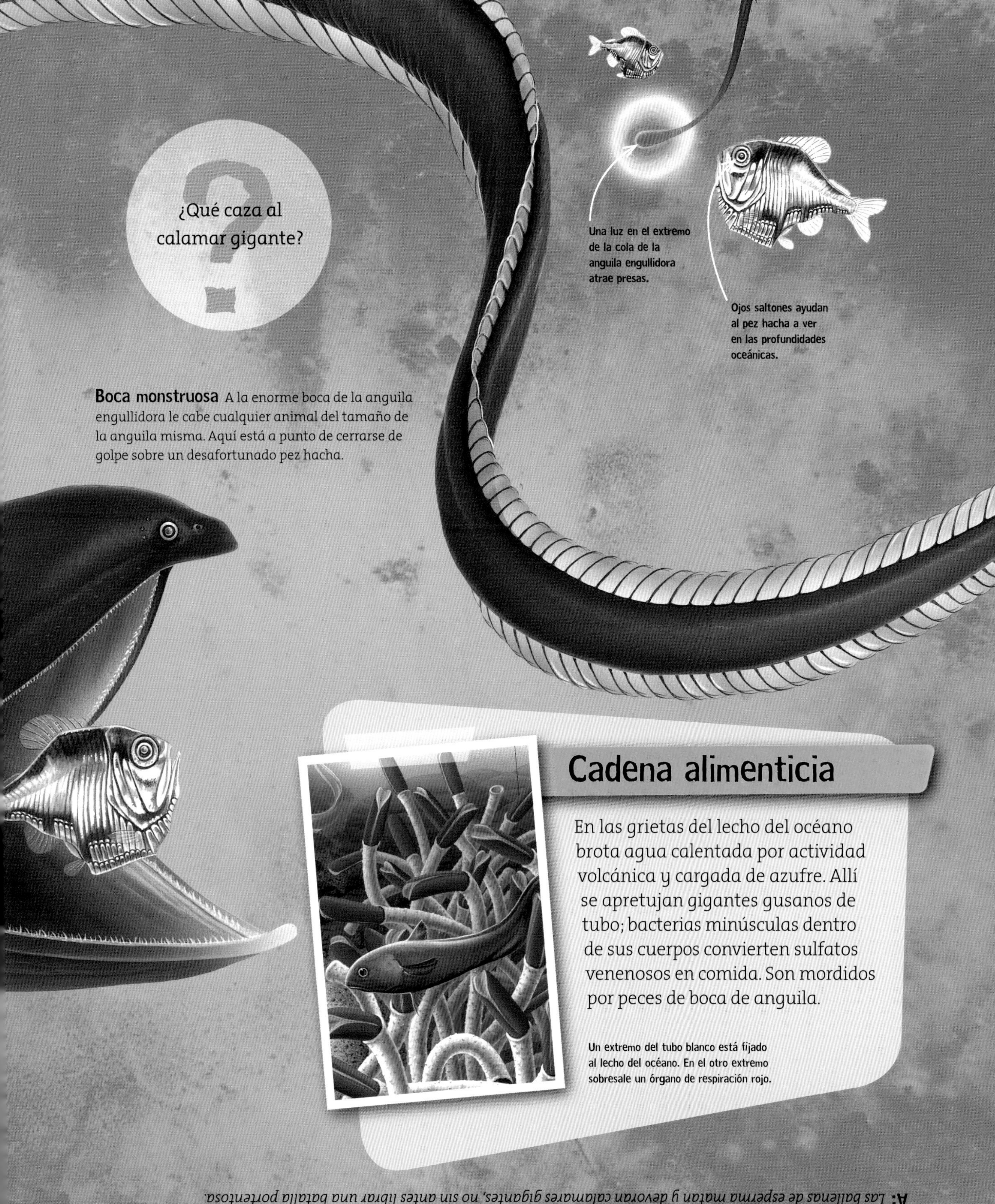

¿Qué caza al calamar gigante?

Una luz en el extremo de la cola de la anguila engullidora atrae presas.

Ojos saltones ayudan al pez hacha a ver en las profundidades oceánicas.

Boca monstruosa A la enorme boca de la anguila engullidora le cabe cualquier animal del tamaño de la anguila misma. Aquí está a punto de cerrarse de golpe sobre un desafortunado pez hacha.

Cadena alimenticia

En las grietas del lecho del océano brota agua calentada por actividad volcánica y cargada de azufre. Allí se apretujan gigantes gusanos de tubo; bacterias minúsculas dentro de sus cuerpos convierten sulfatos venenosos en comida. Son mordidos por peces de boca de anguila.

Un extremo del tubo blanco está fijado al lecho del océano. En el otro extremo sobresale un órgano de respiración rojo.

A: *Las ballenas de esperma matan y devoran calamares gigantes, no sin antes librar una batalla portentosa.*

La vida en la cima

Los animales de las montañas lidian con aire frío en extremo, vientos feroces, bajos niveles de oxígeno y terrenos difíciles. Los mamíferos tienen pelajes gruesos para mantener a raya el frío penetrante, y pulmones fuertes y un corazón grande para conseguir oxígeno suficiente. En invierno, cuando la comida escasea, muchos se desplazan a altitudes más bajas.

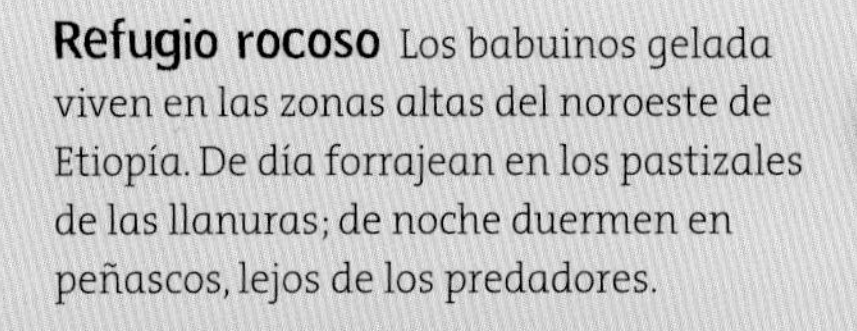

Refugio rocoso Los babuinos gelada viven en las zonas altas del noroeste de Etiopía. De día forrajean en los pastizales de las llanuras; de noche duermen en peñascos, lejos de los predadores.

Reyes de la montaña

Las laderas volcánicas de África Oriental llegan hasta las nubes. Allí las selvas brumosas son hogar de grupos de gorilas de la montaña; durante el día arrancan y comen plantas. Su largo y grueso pelaje los abriga en la noche, cuando la temperatura baja a menos de cero.

Conforme envejecen, el pelaje oscuro de los gorilas de la montaña se torna gris. A los machos viejos se les llama "lomos de plata".

Estilos de altura

Calentador corporal Al dormir, el leopardo de las nieves envuelve todo su cuerpo y su cara con su cola gruesa y peluda, como si fuera una cobija.

Respirar sin problemas El yak vive y medra en el aire ralo del Himalaya gracias a sus megapulmones y sus glóbulos rojos portadores de oxígeno.

Pastoreo alpino
Las llamas ramonean líquenes, arbustos bajos y pastos sobre llanuras frías y secas de las alturas de los Andes. Pueden pasar largos lapsos sin agua, como el camello.

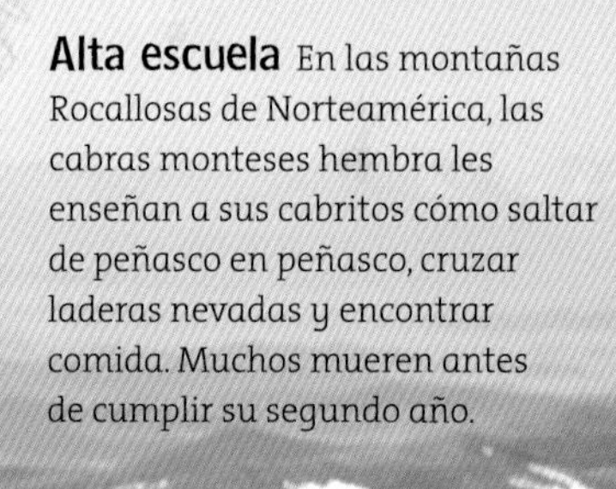

Alta escuela En las montañas Rocallosas de Norteamérica, las cabras monteses hembra les enseñan a sus cabritos cómo saltar de peñasco en peñasco, cruzar laderas nevadas y encontrar comida. Muchos mueren antes de cumplir su segundo año.

PAREJAS DISPAREJAS

Algunas especies forman asociaciones extrañas. A veces, eso ayuda a ambas partes, como ocurre con las avefrías cuervo que se alimentan limpiando los dientes de los cocodrilos. En ocasiones, funciona sólo para una de las partes: los peces rémora no benefician a los tiburones de los que dependen. Y cuando los parásitos viven sobre y dentro de otro animal, uno de los socios es perjudicado.

Las rémoras se adhieren a los tiburones para obtener protección, viajar gratis y comer las sobras de comida.

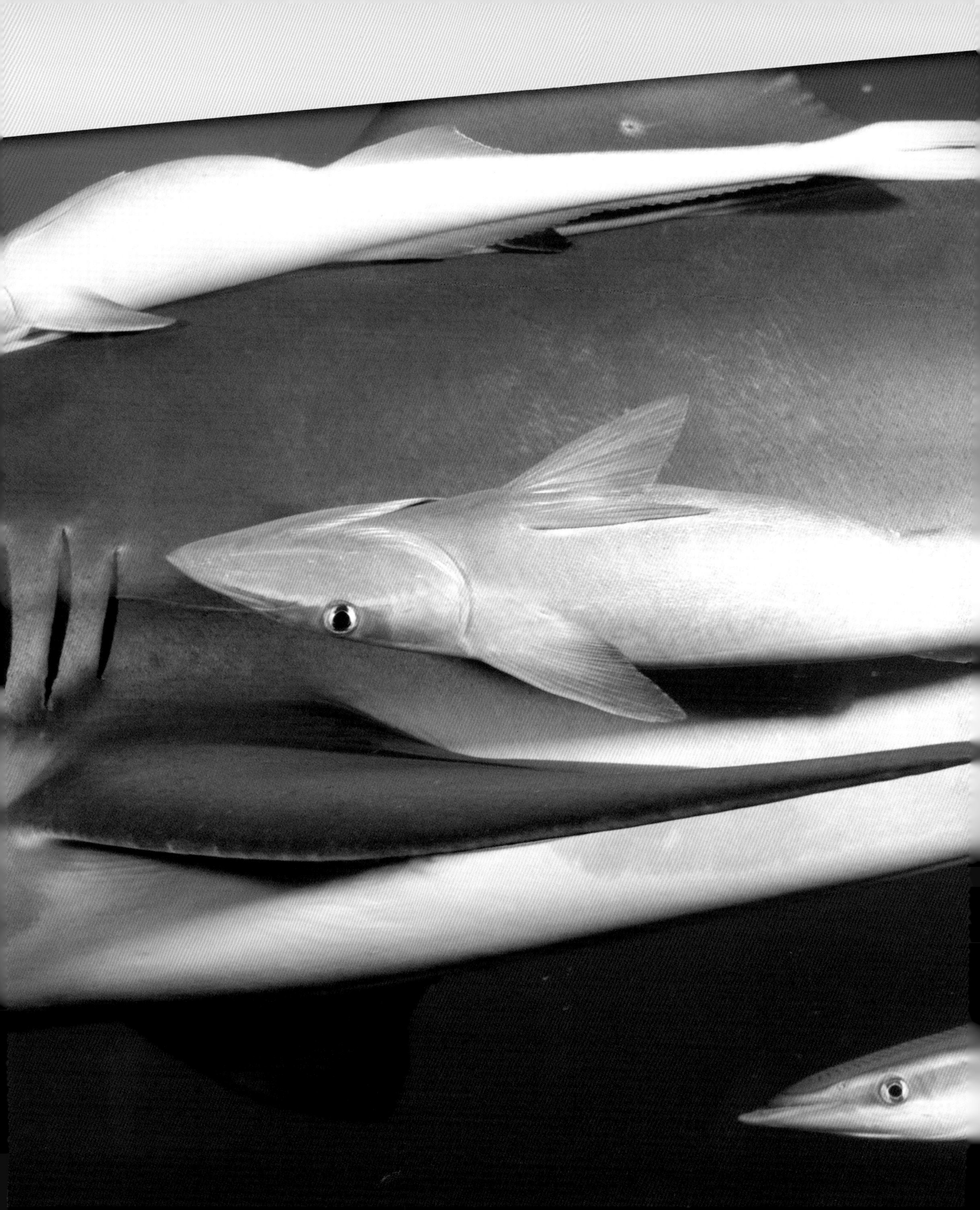

Trabajando juntos

En muchos casos, dos especies de criaturas asociadas salen beneficiadas del acuerdo. Incluso, algunas sobreviven gracias a su pareja sorprendente. Las aves picudas, por ejemplo, siguen a las mangostas y dependen de los insectos y reptiles pequeños a los que van removiendo. A cambio, las aves alertan a las mangostas de peligros. A ninguna de las dos le gusta lanzarse a forrajear sin la otra.

Un dulce acuerdo El tejón de miel es llevado hasta una colmena por el ave africana guía de miel, que canta una canción especial. El tejón abre la colmena con sus poderosas garras y se come la miel, mientras que al ave le tocan la cera y las larvas de abeja.

Una buena tallada
Los pequeños budiones limpiadores se alimentan de las percebes que quitan de los caparazones de tortugas marinas y de otros animales marinos grandes. Su servicio es bienvenido por criaturas que normalmente se comen a los peces pequeños.

Picabueyes

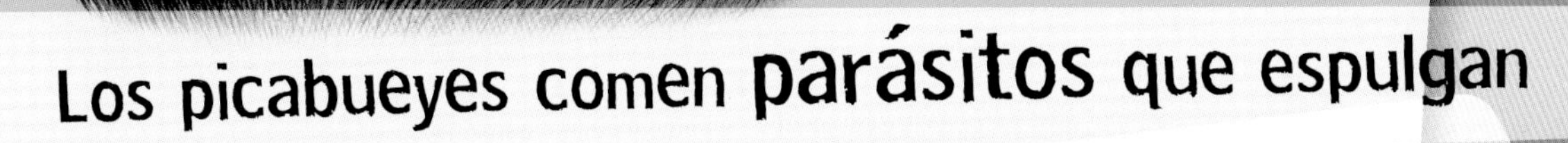

Los picabueyes comen parásitos que espulgan de los lomos de jirafas, cebras y gacelas.

Camarones limpiadores

A peces grandes no les incomoda que los camarones de cintas de coral coman por encima de sus cuerpos e incluso adentro de sus bocas y agallas. Los camarones les quitan a estos peces parásitos causantes de infecciones y tejidos muertos.

Un camarón de cinta de coral examina a una anguila morena, buscando una cena de parásitos.

Una comida gratis

Algunas criaturas dependen de otra especie no sólo para su comida, sino en ocasiones para abrigo, transportación y protección ante predadores, en una relación muy unilateral. Un socio recibe todos los beneficios, y al otro la asociación no le afecta: no obtiene ninguna ventaja, pero tampoco sufre daño alguno.

Datos animales

1. La garza ganadera se alimenta de insectos que fastidian a los animales que pastan.
2. Los cálaos siguen a las hormigas soldado y se alimentan de los insectos aturdidos.
3. El camarón emperador aprovecha un viaje gratis sobre un pepino de mar (un pariente de la estrella de mar), bajándose de vez en cuando para encontrar comida.

Tigre de Bengala

¿Las rémoras sólo se le adhieren a los tiburones?

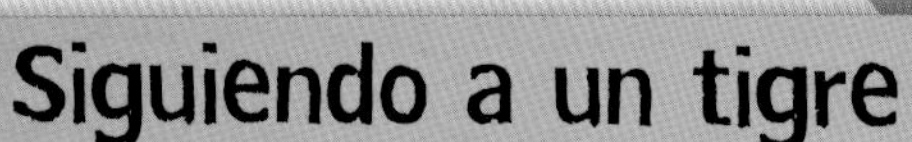

Siguiendo a un tigre

Un chacal dorado rechazado por su manada sobrevive si sigue a un tigre, a una distancia segura; el chacal podrá comer las sobras de los animales que mata el tigre. El tigre lo tolera, aunque bien podría considerarlo una presa.

Chacal dorado

Nada se desperdicia

Todo se aprovecha Pocos predadores se negarán a comer alimento matado por otro predador. Cuando los leones matan una presa, carnívoros de otras especies no tardan en llegar. Todos comerán hasta que ya no quede nada.

Los buitres meten la cabeza adentro del cadáver, a donde no alcanzan las hienas.

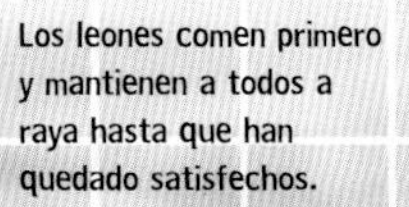

Los leones comen primero y mantienen a todos a raya hasta que han quedado satisfechos.

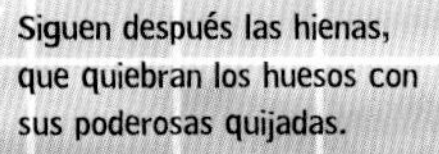

Siguen después las hienas, que quiebran los huesos con sus poderosas quijadas.

Aprovechando el viaje Los percebes comen las partículas de comida flotante. Adheridos siempre a la ballena, se desplazan con ella, alimentándose de nuevas fuentes de comida mientras viajan, pero sin dañar en nada a su anfitrión.

A: *No. También se adhieren a ballenas, rayas, tortugas, vacas marinas, atunes y peces espada.*

Acércate a los parásitos

Hogar dulce hogar La hembra del ácaro varroa come los jugos corporales de la abeja de miel antes de pasarse a una celdilla de crianza de las abejas a poner sus huevos. La ácaro y sus críos salidos del huevo se alimentan de las larvas de las abejas.

Ácaro varroa

Un parásito es un animal que vive, se alimenta y se reproduce sobre la superficie o al interior de otra criatura viviente, llamada anfitrión. Los parásitos dependen de su anfitrión para sobrevivir; por lo general no lo matan, pero sí pueden dañarlo. Algunos insectos ponen sus huevos dentro del cuerpo viviente de otro insecto para que sus críos tengan comida fresca cuando nazcan.

Chupando sangre Con sus partes bucales ganchudas, las garrapatas perforan la piel de un mamífero para alimentarse de su sangre. Cuando quedan llenas, como lo está esta garrapata de venado, se dejan caer.

Garrapata de venado

Agarre fuerte Firmemente anclado, este piojo de salmón, una especie de copépodo, pastorea sobre un salmón rosado. Los piojos de salmón generalmente se adhieren a la piel, aletas y agallas de los peces y se alimentan de su piel, mucosidades y sangre.

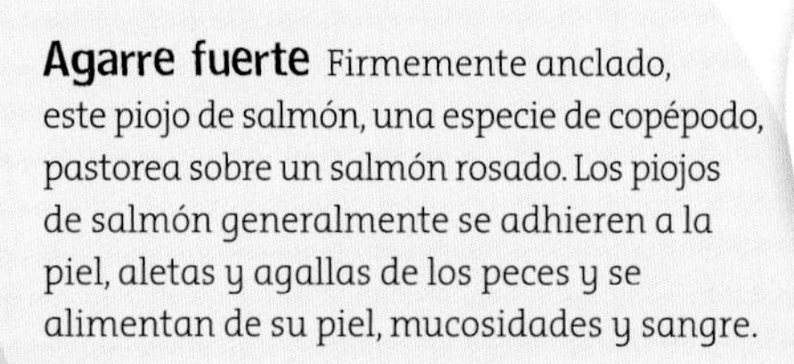

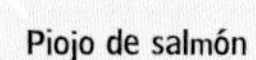

Piojo de salmón

La avispa voltea de espaldas a la araña para inyectarle veneno en una parte blanda de su cuerpo.

Comida para sus bebés

Después de aguijonear y paralizar a una tarántula dos veces más grande que ella, la avispa halcón de tarántula hembra usa el cuerpo aún viviente como incubadora y almacén de alimento para sus bebés.

La avispa pone un solo huevo en el cuerpo de la araña, y después lo sella en una cavidad.

Alimentada por los jugos corporales de la araña, la larva inicia su transformación en adulta.

Parásitos sobre gente

Muchos parásitos hacen sus hogares en nosotros. Insectos minúsculos y ácaros de apariencia arácnida chupan sangre en la superficie o comen sobras de tejidos. Por dentro, gusanos parásitos obtienen nutrientes de la dieta de su anfitrión o chupan sangre. Gusanos de este tipo infestan a más de la mitad de la población mundial.

¿Qué comen los ácaros de polvo?

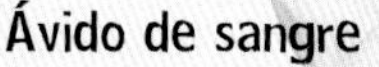

Ávido de sangre
Las chinches de cama se alimentan de sangre humana, sobre todo de noche. Al igual que la mayoría de los parásitos que chupan sangre, las chinches inyectan saliva que impide que la sangre se coagule. No viven sobre los humanos, su único contacto es para alimentarse.

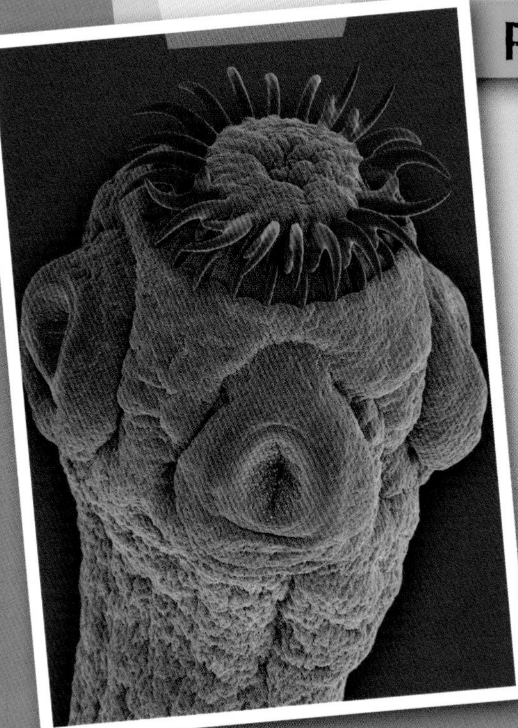

Por dentro

Los parásitos entran al cuerpo humano como larvas. Comen en el intestino hasta alcanzar la edad adulta, entonces ponen huevos y salen del cuerpo con los desechos. La solitaria entra al cuerpo humano a través de la carne consumida de ganado y peces infestados.

La solitaria usa chupones y ganchos para adherirse al intestino, donde se alimenta de comida digerida.

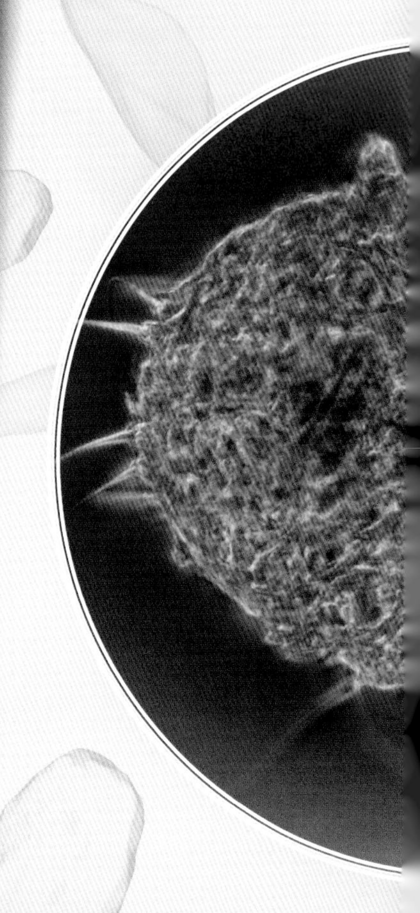

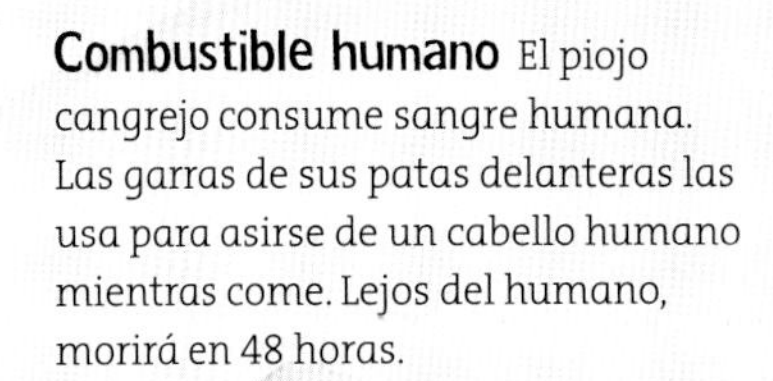

Combustible humano El piojo cangrejo consume sangre humana. Las garras de sus patas delanteras las usa para asirse de un cabello humano mientras come. Lejos del humano, morirá en 48 horas.

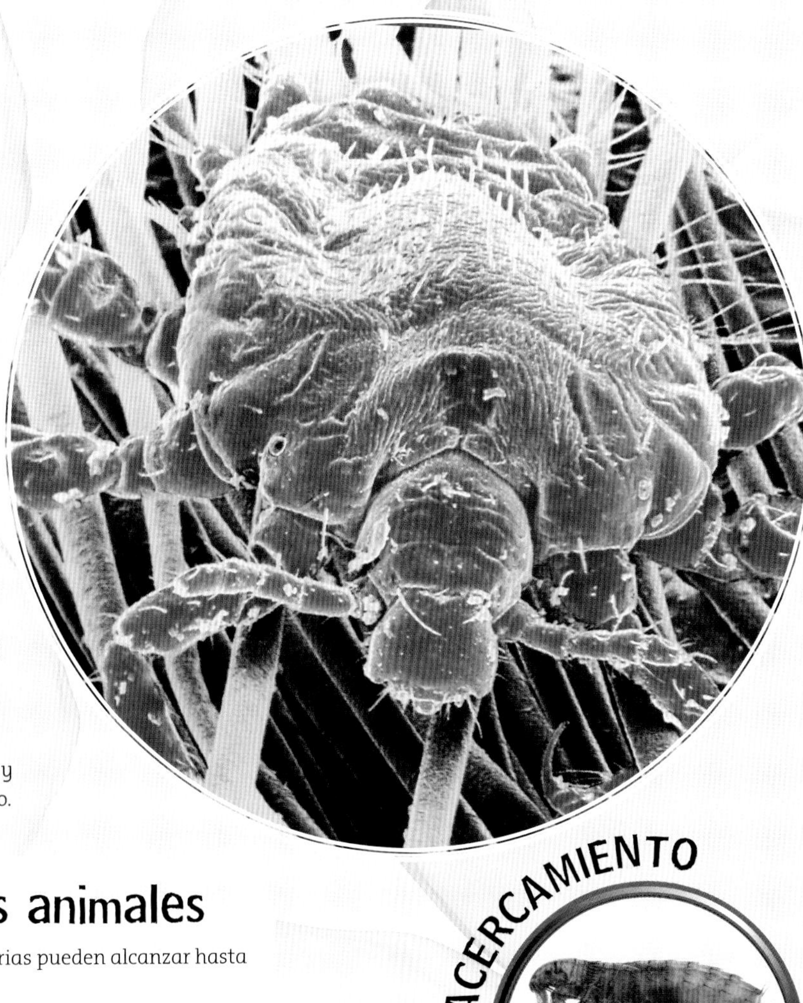

Bajo la piel Usando sus patas delanteras puntiagudas, los aradores de la sarna hembra taladran un túnel debajo de la piel, poniendo huevos conforme avanzan. Las larvas y los adultos se alimentan de sangre hasta que la hembra se aparea y está lista para reiniciar el ciclo.

Datos animales

1. Algunas solitarias pueden alcanzar hasta 7 m de largo.

2. Los piojos de cabeza adultos usan partes bucales para perforar la piel y chupar sangre por lo menos tres veces al día. Sin sangre, se deshidratarán y morirán.

3. Las sanguijuelas inyectan un químico que impide que la sangre se coagule. Este químico puede utilizarse médicamente para extraer sangre congestionada y permitir que se reanude la circulación normal.

ACERCAMIENTO

Buscando sangre La pulga gatuna no vive sobre humanos pero sí muerde a la gente para obtener una comida de sangre. Atraviesa la piel con su pico. Esta pulga está llena de sangre.

A: *Se alimentan de los millones de células muertas de piel y cabello que desechamos continuamente.*

CARROÑEROS

Los carroñeros sobreviven buscando y alimentándose de materia animal y vegetal muerta. Para muchos, en términos de desgaste de energía, comer animales muertos o moribundos es más eficiente que cazar presas; algunos hacen las dos cosas. De cóndores a cucarachas, los carroñeros son el equipo de limpieza del mundo animal. Desaparecen cadáveres, sobras de predadores y vegetación putrefacta.

Una osa y sus oseznos incrementan sus reservas de grasa alimentándose de un cadáver de ballena.

Carroñeros marinos

Animales lentos tales como estrellas de mar y caracoles marinos comen la materia vegetal y animal en putrefacción sobre el lecho marino. Los veloces tiburones, incluso, agradecen la comida fácil de un cadáver flotante. A cambio de que la comida llegue hasta ellos, los carroñeros limpian las aguas y las costas y devuelven nutrientes al ecosistema marino.

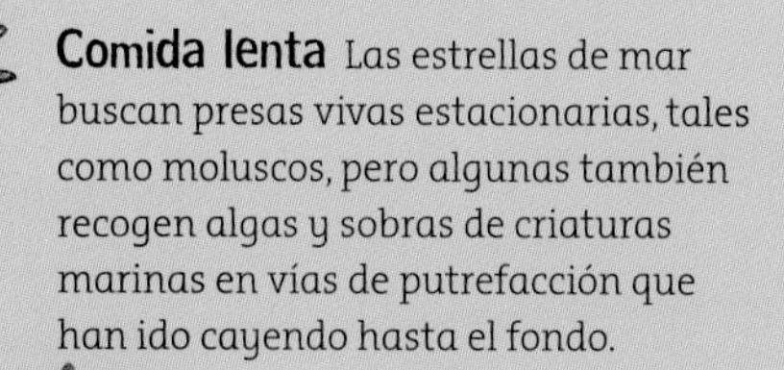

Comida lenta Las estrellas de mar buscan presas vivas estacionarias, tales como moluscos, pero algunas también recogen algas y sobras de criaturas marinas en vías de putrefacción que han ido cayendo hasta el fondo.

Alimento en marcha Las langostas de mar espinosas se alimentan de noche de materia animal viva y muerta: erizos de mar, caracoles, almejas y cangrejos. Esta fila de langostas marcha sobre el lecho marino en su migración anual.

Raqueros Cuando retrocede la marea, los cangrejos fantasma corren sobre las arenas buscando plantas y animales muertos lanzados sobre la playa. Este grupo se da un festín con el cadáver de una foca peluda.

Tripas para basura Los tiburones tigre tragan de todo, desde tortugas, tiburones y peces, hasta objetos que no son comida. En su estómago han sido encontrados zapatos, cubetas e incluso un traje de armadura, quizás años después de que el objeto fue devorado.

Comida tamaño ballena Los grandes tiburones blancos se reúnen para devorar la carroña de un cadáver de ballena. El tiburón hambriento no gasta energía cazando y se atiborrará hasta que su estómago quede lleno.

Datos animales

1. Los caracoles marinos raspan las algas de las rocas con sus lenguas de motosierra.
2. De día, los saltarines playeros se ocultan en madrigueras de arena; de noche comen algas marinas en vías de putrefacción.
3. Los camarones se alimentan de plantas y animales muertos que han caído hasta el lecho marino.

Aves carroñeras

Muchos pájaros no atrapan presas. Con miradas agudas, patrullan los cielos buscando animales muertos, enfermos o heridos para comerlos. Viven en regiones difíciles, como en las altas montañas (hogar del cóndor andino), desiertos yermos o heladas soledades. Otros se ciernen junto a caminos buscando animales pequeños muertos por el tráfico.

Vestido para cenar La piel desnuda en la cabeza y el cuello del poderoso cóndor andino y de otros carroñeros grandes, como los buitres, permite a estas aves llegar al fondo de un cadáver putrefacto sin ensuciar sus plumas, algo que podría atraer bacterias.

Forrajeros extremos

Las gaviotas comen casi todo tipo de carne. Recogen del agua sobras de las embarcaciones; sobre la costa, extraen criaturas muertas de entre las algas marinas; en grandes bandadas, forrajean por muelles pesqueros y depósitos de basura, y unas a otras se roban comida. La mayoría no toma presas vivas.

Gaviotas picotean la piel y grasa del cadáver de una ballena gris.

Listo para desgarrar Sobre alas anchas, los buitres planean sobre los pastizales africanos buscando un cadáver del cual alimentarse. El poderoso pico de este buitre carunculado puede perforar piel que es demasiado resistente para carroñeros pequeños.

Sobras selectas Cuervos encapuchados y cuervos nórdicos, más grandes, se dan un festín con el cadáver de un venado, muerto quizá por lobos. Se ha sabido de cuervos nórdicos que siguen a manadas de lobos para aprovechar las sobras que éstos dejan.

Carroñeros de tierra

Los carroñeros carnívoros dependen de la carroña –carne en estado de descomposición– para sobrevivir. Las hienas pueden cazar presas, pero prefieren las sobras de criaturas muertas por otros. Ratas, zorros, osos y otros carroñeros comen materia animal y vegetal; comen despensas y desperdicios de humanos.

Regalo del mar Una ballena varada en la playa cuando se aventuró demasiado hacia aguas bajas ofrece a estos osos polares una despensa llena de carne que podría durarles meses.

Datos animales

1. Las cucarachas comen todo tipo de materiales, incluyendo papel, heces animales, insectos muertos y frutas podridas.

2. Los zorros han aprendido a vivir en las ciudades hurgando en la basura y comiendo comida para mascotas dejada al aire libre.

3. Aunque prefieren presas recién muertas, los coyotes comen carroña en el invierno, cuando escasea la comida.

Oso adaptable Los rellenos sanitarios atraen a osos café carroñeros, que con gusto disfrutan una comida de sobras descartadas por humanos, en vez de cazar comida que oponga más resistencia.

Criaturas de la noche

Limpiador nocturno El demonio de Tasmania busca carroña por la noche, incluyendo cadáveres de ovejas y ganado. Quijadas y dientes poderosos le permiten comer cada pedacito de su comida: huesos, pelaje, garras y cascos.

Compañero indeseado La rata negra común medra en el medio ambiente humano, alimentándose de frutas, granos y harina almacenados. Roe envolturas y contamina su contenido.

Oportunista El mapache come cualquier comida que encuentre o atrape: insectos, gusanos, huevos de pájaros, frutas y nueces. Busca sobras en botes de basura.

El rey manda Las hienas moteadas cazan en manadas para cazar presas grandes. Aquí, leones atraídos por las riñas de las hienas se acercan para robarles su presa muerta. Las hienas volverán cuando los leones hayan terminado.

Regreso a la tierra

Muchos "bichos rastreros": escarabajos, hormigas, moscas, arañas, gusanos, comen materias muertas o en vías de putrefacción. Algunos comen hojas o maderas muertas; otros, heces o cuerpos muertos. Son obreros voluntariosos, recicladores de la naturaleza. Al desmenuzar y procesar este material, liberan nutrientes que regresan a la tierra. Las plantas reabsorben estos nutrientes, y así continúa el ciclo.

El escarabajo adulto sale, quebrando la boñiga y abriéndose paso a la superficie.

El adulto se va volando a encontrar una pareja y más excremento para comer.

Al crecer completamente, se convierte en una pupa, manteniéndose dentro de la protección de la bola de estiércol.

La larva eclosiona del huevo y comienza a alimentarse de la bola de excremento.

Eliminando basura Las hormigas comen casi cualquier cosa que encuentran, incluyendo insectos muertos. Las poderosas quijadas de esta hormiga rebanan la dura cobertura externa de un escarabajo para llegar a la carne blanda de su interior.

Rodar y rodar Los escarabajos de estiércol comen excremento de animales, llamado boñiga. Estos escarabajos ruedan bolas de estiércol para sepultarlas en su madriguera. Los adultos comen la parte fluida del estiércol; los restos más duros se guardan para que los coman los pequeños.

La hembra pondrá su huevo una vez que la bola esté en la madriguera.

Amos del reciclaje

Las termitas comen materia vegetal muerta, madera sobre todo. Otros animales no pueden digerirla; pero las termitas la descomponen creando nutrientes que almacenan en sus cuerpos o la utilizan para construir el nido. Cuando las termitas mueren y se erosionan los nidos, los nutrientes fertilizan la tierra.

Algunas termitas cultivan hongos sobre material de madera que acumulan. El hongo convierte la fibra dura en alimento que las termitas pueden comer.

Convertidores de desechos
Los gusanos rojos viven cerca de la superficie de la tierra, donde se alimentan de material vegetal en vías de descomposición. Pueden comer hasta la mitad de su peso al día y producen estiércol, llamado "colados", que fertiliza la tierra.

EN MOVIMIENTO

Muchos animales sobreviven en regiones con cambios extremos de temperatura de verano a invierno; se desplazan con las estaciones hacia sitios con condiciones más favorables. Por tierra, aire y agua se ponen en marcha en grandes migraciones para encontrar comida y mejores lugares donde reproducirse y dar a luz. Algunos de estos viajes son largos y difíciles.

Bandadas de flamencos migran entre tierras de reproducción en Francia y lagos donde se alimentan en África. Viajan de noche, trompeteando mientras vuelan.

Campeones migrantes

Para algunas criaturas, la migración estacional es un asunto sencillo, cosa de kilómetros hacia arriba o hacia abajo sobre la ladera montañosa. Otras rompen récords al cruzar continentes u océanos. Mamíferos polares, como ballenas y focas peludas, nadan en invierno a reproducirse en aguas cálidas cerca del ecuador.

Viaje oceánico

Las tortugas marinas nadan miles de kilómetros por el océano Atlántico. Se orientan percibiendo cambios en el campo magnético de la Tierra, igual que una brújula. Cada año, la hembra regresa a la playa donde nació a poner sus huevos. Los machos viven siempre en el mar.

Las tortugas marinas macho y hembra adultos se reúnen en el océano Atlántico.

Después de aparearse en el mar, la hembra parte hacia la playa donde salió del cascarón.

La hembra pone sus huevos en la arena de su playa nativa.

Luego de eclosionar, las bebés corren a las olas rompientes a comenzar su viaje oceánico.

Años después, las que sobreviven a predadores y tormentas están listas para reproducirse.

Viajes portentosos

Opuestos polares Tanto en el hemisferio norte como en el sur, viven las ballenas azules. Cada grupo pasa el invierno cerca del ecuador; en verano, viaja a las aguas polares a comer. Como las estaciones son opuestas, los dos grupos nunca se conocen.

Larga marcha El verano finaliza; manadas de caribúes viajan de tierras de cría en la tundra ártica a pasar el invierno en bosques más al sur. El viaje redondo, la migración más grande de mamíferos terrestres, es de hasta 5 000 km.

Persiguiendo el sol Cada otoño, millones de frágiles mariposas monarca hacen un viaje épico de 3 500 km desde Canadá hasta California para escapar del invierno congelante. Van posándose en árboles a lo largo del camino.

Viajeros por tierra

Al cambiar el clima, los animales de pastoreo se reúnen en grandes manadas para viajar a pasturas mejores. En el hemisferio norte, los caribúes viajan al norte a pasar el verano y al sur durante el invierno. En África, la migración anual se liga al ciclo de las estaciones de lluvia y de sequía.

Carrera para poner Después de aparearse, la iguana terrestre Galápagos hembra parte a apoderarse de un lugar arenoso para poner sus huevos. Algunas viajan hasta 15 km para encontrar los mejores sitios para anidar.

Movimiento masivo En invierno, manadas de ñus abandonan pastizales calcinados norteños para seguir lluvias de temporada en un viaje de 2 900 km en el sentido de las manecillas de un reloj, a través de las llanuras del oriente y el sur de África.

La gacela de Mongolia migra a China en marzo-abril, y regresa a Mongolia en agosto-octubre.

Gacela de Mongolia

Mamá es la experta Los elefantes que habitan el desierto de Namibia recorren grandes distancias para encontrar agua y comida. Los dirige una "matriarca", y su supervivencia depende de su conocimiento y experiencia.

Datos animales

1. Los ciervos rojos suben y bajan por laderas montañosas; pasan la primavera en los prados altos y, en el invierno, en bosques de las estribaciones de la montaña, donde dan a luz.
2. Las cebras viajan con o por delante de la manada de ñus, comiendo los pastos resistentes y más largos y dejando al descubierto los pastos nuevos para los ñus.
3. Cuando marchan hacia sus territorios de invierno, manadas de varios miles de gacelas de Mongolia recorren hasta 300 km por día.

Acércate a los cangrejos

Del bosque hasta el mar Los machos parten primero y las hembras se les unen en el camino. Los cangrejos bajan a rastras por acantilados y se deslizan a través de carreteras en un viaje que puede durar hasta 18 días.

La Isla Navidad, en el océano Índico, es hogar de decenas de millones de cangrejos rojos. Cada temporada de lluvias, todos dejan sus madrigueras en la selva tropical y, en una bullente masa, viajan hacia el mar a reproducirse. Deben permanecer húmedos; si no, muchos mueren en el camino.

Gustos sencillos El cangrejo rojo se alimenta de hojas caídas, frutas, flores y retoños; también aprovecha como comida a otros cangrejos muertos. El caparazón de un adulto mide cerca de 11 cm de ancho.

Rumbo a las colinas Tras un mes en el mar, los jóvenes que sobreviven salen a la playa; lentamente se desplazan tierra adentro, y desaparecen entre los desechos sobre el suelo de la selva. Serán adultos a los cinco años.

Tiempo y marea

Los cangrejos calculan el momento de su llegada, de manera que las hembras puedan depositar sus huevos durante el último cuarto de la luna; es cuando se da la menor diferencia entre las mareas altas y las bajas y es el momento más seguro para que las hembras se acerquen al agua.

Los cangrejos se dan un chapuzón en cuanto llegan al mar, después el macho excava un nido, donde el par se aparea.

Voladores de gran alcance

Muchas aves evitan el mal clima y buscan comida haciendo viajes largos y agotadores por océanos, desiertos y montañas. Vuelan en bandadas casi siempre y, salvo cuando viajan sobre el mar, lo hacen en secciones más cortas de varios cientos de kilómetros cada una. Libélulas, falenas, langostas y mariposas también migran para aparearse y poner huevos.

Comer en pleno viaje El comedor de abejas carmín se desplaza entre África del Sur y el ecuador. Si viaja sobre los lomos de ganado u otros animales, atrapa insectos voladores que alborotan a su paso.

Volador fuerte El cuerpo resistente y las largas alas puntiagudas del murciélago frutero color de paja africano son ideales para vuelos de larga distancia. Los animales integran colonias masivas de 100 000 o más y migran juntos cuando el alimento se vuelve escaso.

Datos animales

1. La golondrina ártica se reproduce en el Ártico, y entonces vuela hasta la Antártida, el viaje migratorio más largo de cualquier pájaro.
2. Las aves terrestres que vuelan sobre agua, como el avefría dorada, vuelan sin detenerse. No pueden descansar sobre el agua y comer en el camino, como lo hacen las aves marinas.
3. Las mariposas dama pintada vuelan desde el norte de África hasta el Círculo Ártico.

¿Qué le dice a un pájaro que ya es hora de partir?

Viaje sólo de ida
La tejedora verde es una libélula grande y fuerte de Norteamérica. Cada otoño, enjambres de ellas se dirigen al sur a reproducirse y poner huevos. En primavera, sus crías hacen el viaje de regreso.

Altos en el camino
Entre la tierra nórdica donde come en verano y la tierra húmeda sureña donde pasa el invierno, el cisne de la tundra detiene su vuelo para descansar y comer.

Combustible La migración del colibrí de cuello de rubí lo lleva a través del golfo de México. Como todas las aves pequeñas que hacen vuelos tan largos, primero se carga de comida, para tener una reserva de grasa que le dé energía.

A: *La duración del día y la temperatura son los indicadores principales que le dicen cuándo migrar.*

Viajes oceánicos

Pájaros, ballenas, tortugas marinas y tiburones están entre los animales que cruzan océanos. Viajan miles de kilómetros hasta su destino y entonces, al llegar el momento correcto, vuelven sobre sus pasos. Estos viajes son difíciles y peligrosos. Muchos no sobreviven a tormentas, predadores o a las flotillas de pesca que esperan a las numerosas criaturas marinas migratorias.

Ciclo de vida del salmón

Los salmones migran maratónicamente río arriba para desovar donde nacieron. Los pececillos se desplazan a aguas más profundas como salmoncillos. Cuando ya tienen el tamaño como para salvarse de predadores, entran al agua salada como murgones plateados; al paso del tiempo se convierten en adultos grandes, viajeros que regresarán al mismo río a reiniciar el ciclo.

Viajeras constantes Cada año, las ballenas jorobadas siguen la misma ruta cuando viajan de ida y vuelta entre los territorios donde comen en verano, en aguas polares, y las aguas tropicales donde dan a luz.

ACERCAMIENTO

¿Las ballenas jorobadas comen cuando están en aguas tropicales?

Alas acuáticas Los pingüinos de Magallanes se reproducen en grandes colonias veraniegas a lo largo de las costas sureñas de Sudamérica. Después de que los polluelos aprenden a nadar, se dirigen al norte con sus padres para pasar el invierno en Brasil.

Viaje de una vida Las anguilas europeas eclosionan en el mar de los Sargazos, en el océano Atlántico occidental. Después de pasar hasta 20 años en ríos de agua dulce, regresan al salado mar de los Sargazos a desovar una vez, y entonces mueren. A lo largo de una vida, recorren hasta 11 250 km.

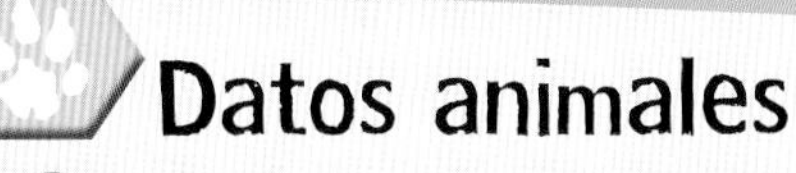

Datos animales

1. En invierno y en largas filas, grupos de langostas marinas espinosas se dirigen sobre el lecho oceánico a aguas más profundas. Pueden recorrer hasta 50 km sin descansar.

2. Las ballenas grises nadan desde México hasta el mar de Bering, un viaje anual de ida y vuelta de más de 19 300 km.

3. Cada año, el tiburón azul cruza el Atlántico de ida y vuelta, viajando de aventón con la corriente oceánica llamada Corriente del Golfo.

Tierras de apareo Cada invierno, miles de jibias gigantes se reúnen para desovar en aguas bajas y saladas ante la costa de Australia del sur. Aquí, las condiciones son ideales para la supervivencia de sus críos.

A: *No. Viven de reservas de grasa creadas al atiborrarse de kril en sus territorios de alimentación polares.*

CRECER Y APRENDER

Casi todos los animales que permanecen con sus críos y los cuidan, tales como mamíferos y pájaros, tienen menos descendientes que aquellos que los dejan a lidiar por sí mismos, como hace la mayoría de los peces. De sus padres o de otros adultos, los animales jóvenes aprenden cómo hallar comida y evitar a predadores.

Los hipopótamos pigmeo madre y sus críos pasan el día juntos retozando en agua lodosa.

Cuidando los huevos

Mientras que algunas criaturas producen vastas cantidades de huevos y dejan a la suerte la supervivencia de los huevos, otras producen muchos menos, y quizás un solo huevo, pero los atienden con mucho cuidado. Aunque generalmente es responsabilidad de la hembra cuidar los huevos, en algunas especies este trabajo recae en el macho.

Padre protector La rana de Darwin macho vigila los huevos hasta que eclosionan, entonces se "traga" los renacuajos, y los guarda en una bolsa en su garganta. Seis semanas después salen brincando, como minúsculas ranitas.

Cuidado paterno El espinoso macho construye un nido para atraer a una hembra pero, después de que ella ha puesto sus huevos, la corre del nido. Entonces fertiliza los huevos y los vigila hasta que eclosionan.

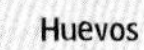

Deberes paternos La hembra dragón marino foliado pone sus huevos en la bolsa del macho, que los carga hasta que eclosionan y los hijos son capaces de cuidarse por sí mismos.

Datos animales

1. El faisán australiano mantiene sus huevos a temperatura perfecta en un cálido montón de basura de hojas, en vías de descomposición.

2. El sapo de Surinam hembra carga los huevos fertilizados dentro de pequeñas bolsas bajo la piel de su espalda hasta que pasan a ser renacuajos y después pequeños sapos.

3. La pitón hembra enrosca su cuerpo alrededor de sus huevos para mantenerlos calientes y seguros.

Se queda cuidando el huevo
Mientras su pareja caza en el mar, el pingüino emperador macho sostiene el huevo de ambos sobre sus pies y lo mantiene caliente bajo un alerón emplumado hasta que eclosiona. El macho no come; vive de su grasa.

Cuidando a las crías

La mayoría de las aves paternas comparten por igual la tarea de criar a sus polluelos. Pero para los mamíferos, que producen leche para sus bebés y los cuidan por mucho más tiempo que otros animales, generalmente es la madre la que juega el papel dominante, amamantando, protegiendo y cargando a los críos hasta que pueden sobrevivir por sí mismos.

Padres pingüinos

Los pingüinos empollan un solo huevo, y ambos padres comparten el cuidado del polluelo. Uno cuida al bebé mientras el otro reúne comida –kril y peces– que digiere parcialmente para entregarla después en la boca de su progenie.

Un hambriento polluelo pingüino macarrón mete el pico a la garganta de su madre para recibir comida.

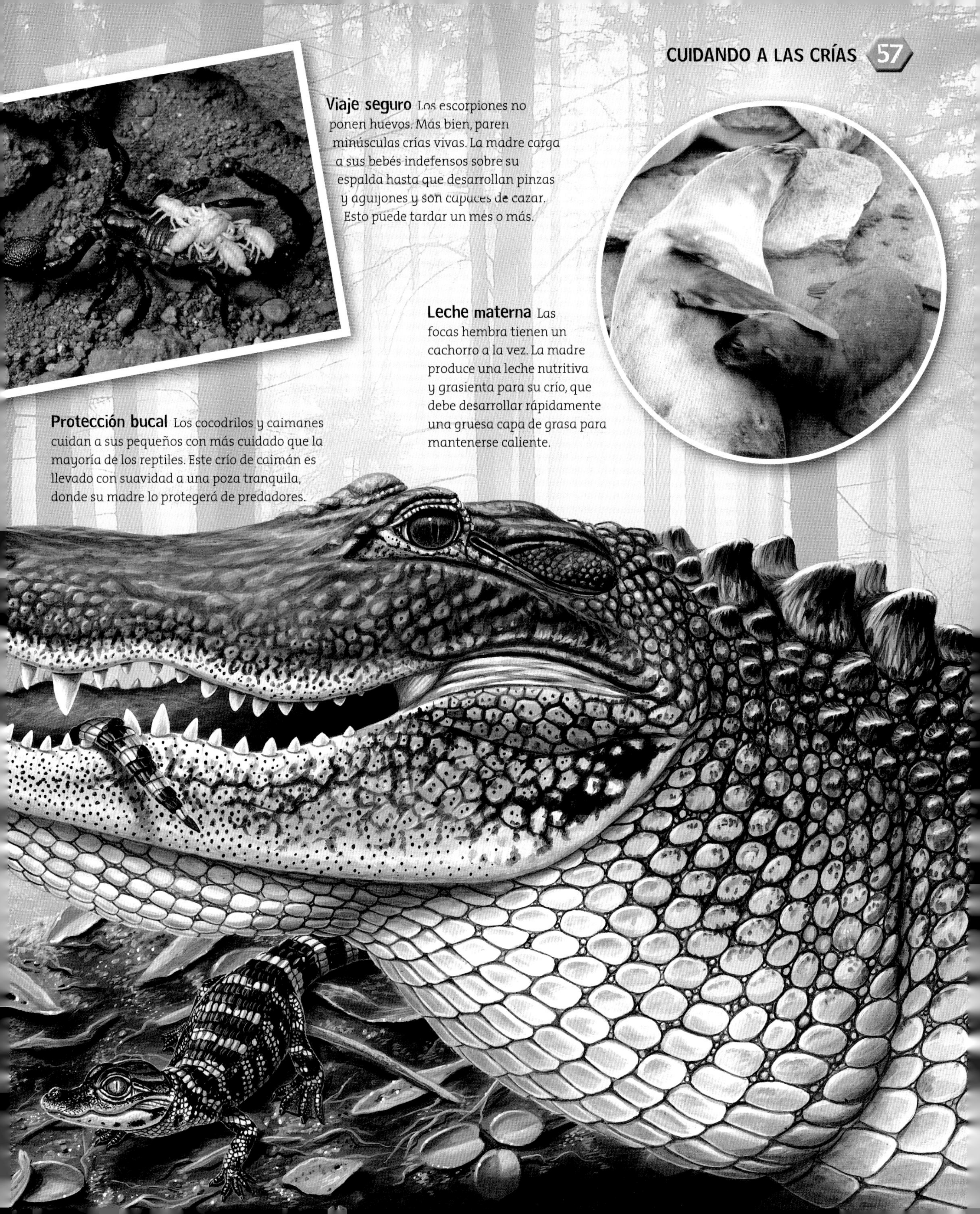

Viaje seguro Los escorpiones no ponen huevos. Más bien, paren minúsculas crías vivas. La madre carga a sus bebés indefensos sobre su espalda hasta que desarrollan pinzas y aguijones y son capaces de cazar. Esto puede tardar un mes o más.

Leche materna Las focas hembra tienen un cachorro a la vez. La madre produce una leche nutritiva y grasienta para su crío, que debe desarrollar rápidamente una gruesa capa de grasa para mantenerse caliente.

Protección bucal Los cocodrilos y caimanes cuidan a sus pequeños con más cuidado que la mayoría de los reptiles. Este crío de caimán es llevado con suavidad a una poza tranquila, donde su madre lo protegerá de predadores.

Criando a un bebé

Los mamíferos dan a luz a críos bien desarrollados, pero éstos pueden requerir de meses y a veces de años de cuidado antes de que puedan valerse por sí mismos. Se les tiene que enseñar todo, desde qué comida comer y cómo atraparla o reunirla, hasta cómo evitar a predadores y qué significan diferentes señas y llamados.

Colgaditos Los bebés lémures se aferran a su madre, primero sobre su panza y después trepando ágilmente hasta su lomo, hasta cumplir cerca de seis meses de edad, cuando ya saben forrajear y trepar por sí mismos.

Ensayo en manada Desde jóvenes, los lobos aprenden a reconocer los aullidos. Una manada aullante advierte a otras que no se acerquen; guía a casa a un miembro perdido, o indica la muerte de una presa fresca. Los cachorros aúllan como a las cuatro semanas de edad.

Cercanía Una orca o ballena asesina joven permanece con su madre un año; con ella aprende los llamados del grupo, cómo guiarse y encontrar presas. Nadando en la estela de su madre, ahorra energía.

Lección de pesca En las caídas de agua, los salmones migran río arriba, pero los osos grizzly los esperan para atraparlos cuando saltan. Esta madre le enseña a su osezno sus métodos de pesca.

Datos animales

1. Una gata captura ratones vivos para enseñar a sus gatitos cómo cazar. Si el ratón escapa, la mamá lo vuelve a atrapar y lo regresa, la lección debe seguir.
2. Las chimpancés enseñan a sus críos a usar varas para desenterrar termitas de sus nidos y comérselas.
3. Las zarigüeyas bebés aprenden habilidades de cacería mientras viajan sobre el lomo de su madre.

El grupo cuida a las crías

Mientras que la mayoría de los animales sólo cuidan a sus propios críos, los miembros de ciertas especies comparten el cuidado y la educación de los jóvenes. Por ejemplo, los babuinos hembra acicalarán y alimentarán a bebés ajenos; o pájaros tales como las cucaburras, martines pescadores de Australia, entre los que los adultos jóvenes permanecen con sus padres para ayudar en el nido.

¿Una leona les dará leche a los cachorros de otra leona?

Viviendo en tropa

Las suricatas viven y trabajan juntas en tropas de hasta 30 animales para alimentar y criar a los pequeños. Suricatas nanas cuidan a los críos mientras sus madres forrajean. Erguida sobre sus patas traseras, una centinela vigila y ladrará si descubre una señal de peligro.

A lo largo del día, las suricatas se turnan en labores de nanas y vigías.

Ayudantes de mamá Las elefantas viven en grupos estrechamente unidos, dirigidos por una matriarca vieja y experimentada. Todas tienen parentesco entre sí, de manera que cada bebé es protegido y cuidado por cierto número de "tías" además de por su propia madre.

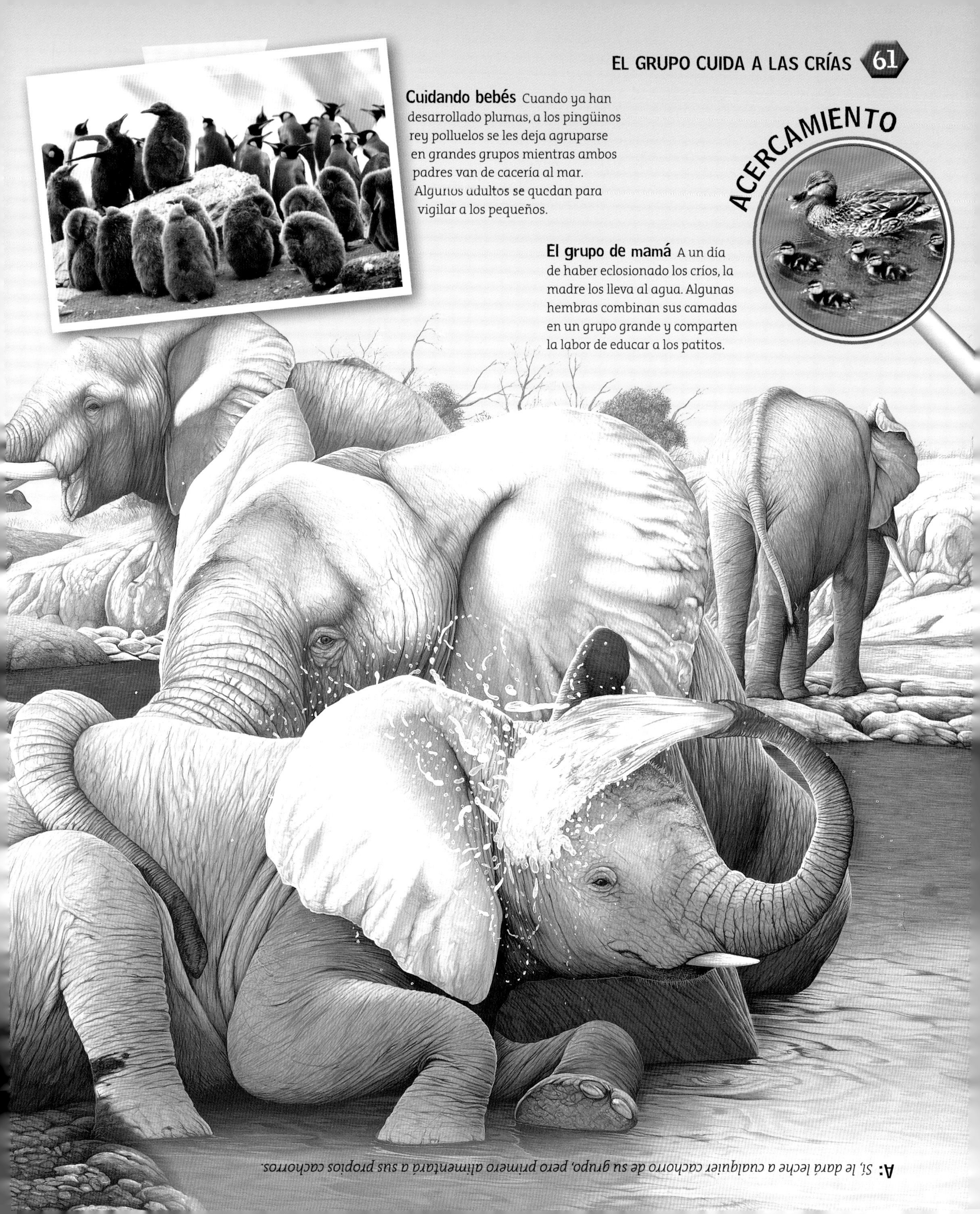

Cuidando bebés Cuando ya han desarrollado plumas, a los pingüinos rey polluelos se les deja agruparse en grandes grupos mientras ambos padres van de cacería al mar. Algunos adultos se quedan para vigilar a los pequeños.

El grupo de mamá A un día de haber eclosionado los críos, la madre los lleva al agua. Algunas hembras combinan sus camadas en un grupo grande y comparten la labor de educar a los patitos.

A: *Sí, le daría leche a cualquier cachorro de su grupo, pero primero alimentará a sus propios cachorros.*

Glosario

alevín crías de salmón que salen del cascarón en agua dulce, entre la grava de los lechos de ríos.

algas formas más simples de vida vegetal. Las algas no tienen tallos, raíces u hojas de verdad. La mayoría se encuentra en el agua.

Antártida región muy fría cerca del Polo Sur.

área de cría área de piel desnuda sobre el pecho de un pájaro que permite que el calor de la sangre del ave llegue con mayor facilidad a los huevos que está incubando y los caliente.

Ártico región muy fría cerca del Polo Norte.

bacterias minúsculas formas de vida. Algunas bacterias causan infecciones; otras son útiles.

boñiga materia de desecho sólido que ha pasado a través del cuerpo de un animal.

carroña carne de animales muertos, en vía de putrefacción, comida por carroñeros.

carroñero animal que se alimenta de sobras de comida, tales como los restos de animales muertos por predadores, u otros materiales en vías de putrefacción, como estiércol y piel mudada.

clima tiempo que se da en una región durante un periodo largo.

colados producto de desechos de los gusanos.

colonia grupo de animales o de plantas del mismo tipo que viven juntos.

cubil madriguera o refugio donde un animal duerme o descansa.

desierto región seca con muy poca caída de lluvia.

desovar poner una masa de huevos directamente en el agua, como hacen peces, ranas y muchas otras criaturas acuáticas.

eclosionado animal recientemente salido de un huevo.

ecosistema comunidad de plantas y animales, junto con el lugar particular en el que viven.

enjambre masa de insectos que se reúnen y se desplazan juntos.

especie grupo de animales que tienen ciertas características en común. Los miembros de una especie son capaces de reproducirse entre sí y producir crías.

excretar liberar sustancias de desecho, tales como orina, sudor o excrementos.

forrajear buscar alimento, como semillas o frutas.

grasa capa de grasa especial ubicada debajo de la piel de un mamífero o pájaro. Es importante como capa aislante.

grupo término colectivo para animales, generalmente focas o ballenas.

hibernación especie de “sueño profundo” utilizado por algunos animales durante los fríos meses invernales para reducir la cantidad de energía que usan. Un animal que hiberna baja su temperatura corporal y reduce el ritmo de su respiración y corazón.

hibernar permanecer completamente inactivo durante los helados meses invernales.

incubar (empollar) proteger y mantener los huevos a la temperatura correcta, sentándose sobre ellos o colocándolos en nidos. Esto permite que los críos se desarrollen y salgan del cascarón.

intestino tubo dentro del cuerpo de un animal que lleva comida desde el estómago y contiene los productos de desecho que quedan después de la digestión.

kril criaturas marinas minúsculas, parecidas a camarones, que viven en grandes números en aguas árticas y antárticas.

larva etapa joven de un insecto, cuando se ve muy diferente a sus padres. La larva pasa por un cambio total, o metamorfosis completa, para llegar a la forma adulta. Las orugas y los gusanos son larvas.

mamíferos grupo de animales que tienen pelo o pelaje, son de sangre caliente y alimentan a sus crías con leche.

marino cualquier cosa que provenga o que se relacione con el océano.

matriarca nombre que se le da a la líder de una manada de elefantas. La matriarca es la más vieja y más experimentada elefanta, y generalmente la manada está integrada por sus hijas y su progenie.

migración desplazamiento estacional de animales de un lugar a otro, donde hay un clima más apropiado para reproducirse o encontrar alimento.

murgón salmón joven que está listo para pasar del agua dulce al océano.

néctar líquido dulce producido en las flores de muchas plantas para atraer a insectos y pájaros, que entonces transfieren el polen a otras plantas.

nutrientes químicos en alimentos que permiten a animales funcionar y crecer.

parásito planta o animal que sobrevive extrayendo nutrientes de otra planta o animal.

pareja uno de un par de animales que producen crías entre los dos.

pastar alimentarse de pastos y plantas que crecen sobre la tierra.

pececillo pez recién salido del cascarón.

polar referente a las regiones heladas alrededor de los polos Norte y Sur.

poros orificios minúsculos en la piel de un animal.

predador animal que sobrevive cazando, matando y comiendo a otros animales.

ramonear usar las manos o labios para arrancar hojas de árboles, arbustos o plantas de baja altura.

saco de yema bolsa que contiene alimento nutritivo adherido a los críos en desarrollo y que les proporciona nutrientes antes de salir del cascarón.

salmoncillo salmón joven que se alimenta en agua dulce.

selva tropical bosque tupido que recibe por lo menos 2 540 mm de lluvia cada año. La mayoría de las selvas tropicales están en las regiones tropicales.

terreno superficie de la tierra en un lugar en particular.

tropical referente a las regiones cálidas a cada lado del ecuador.

tundra área enorme, congelada, en regiones árticas, y sobre todo plana donde no crecen árboles.

Índice

A
abejas de miel 26
ácaros de polvo 28
ácaros varroa 26
anguilas engullidoras 16-17
anguilas europeas 51
anguilas morenas 23
animales del desierto 12-13
animales de las montañas 18-19
ardillas 11
ardillitas listadas 11
áreas áridas 14-15
avefrías cuervo 20
avefrías doradas 48
aves carroñeras 34, 35
avispas halcón de tarántulas 27

B
babuinos 60
babuinos gelada 18
ballenas 25, 33, 50-51
ballenas asesinas 58
ballenas azules 43
ballenas grises 34, 51
ballenas jorobadas 50-51
bonasa americana 8
budiones 22
buitres 25, 34, 35
buitres carunculados 35

C
cabras monteses 19
caimanes 56-57
calamar gigante, 16
cálaos 24
camarones 33
camarones de cintas de coral 23
camarones emperador 24
camellos 13
cangrejos fantasma 32
cangrejos rojos 46-47
canguros 13
caracoles marinos 32, 33
caribúes 43, 44
cebras 22, 45
chacales 24
chacales dorados 24
chimpancés 59
chinches de cama 28-29
chinchillas 9
chotacabras 10
ciervos rojos 45
cisnes de la tundra 49
cocodrilos 20, 57
colibríes de cuello de rubí 49
comedores de abejas carmines 48-49
cóndores 30, 34
cóndores andinos 34
coyotes 36
cucaburras 60
cucarachas 36
cuervos encapuchados 35
cuervos nórdicos 35

D
demonios de Tasmania 36-37
diablos con cuernos 14
dragones de hojas de mar 55

E
elefantes 44-45, 60-61
equidnas 10
escarabajos de estiércol 38-39
escarabajos de neblina 15
escorpiones 57
espinoso 54
estrellas de mar 32

F
faisán australiano 55
flamencos 40-41
focas 9, 57
focas peludas 9, 32

G
gacelas 22
gacelas de Mongolia 45
garrapatas de venado 26
garzas de ganado 24
gatos 59
gaviotas 34
golondrinas árticas 48
gorilas de la montaña 18
grandes tiburones blancos 33
gusanos de tubo gigantes 17
gusanos parásitos 28, 29
gusanos rojos 39

H
hibernación 10-11
hienas 25, 36-37
hienas moteadas 37
hipopótamos pigmeos 52-53
hormigas 12, 15, 24, 38
hormigas botes de miel 15
hormigas plateadas del Sahara 12
hormigas soldado 24
huevos 54-55

I
iguanas terrestres Galápagos 44

J
jibias gigantes 51
jirafas 22

L
lagartijas 12
lagartijas de dedos de flecos 12
langostas de mar espinosas 32, 51
lémures 58
leones 25, 36-37
leopardos de las nieves 18
libélulas 49
lirones 11
lobos 58
llamas 19

M
macacos japoneses 6-7, 8
mangostas 22
mapaches 37
mariposas 42-43, 48
mariposas dama pintada 48
mariposas monarca 43
medios ambientes de calor extremo 12-13
migraciones 40-45
mofetas 11
monos 6
montañas 18-19
moradores de los océanos 16-17
murciélagos 11, 48
murciélagos fruteros color de paja 48

Ñ
ñus 44, 45

O
orcas 58
ortega de arena 14-15
osos cafés 36, 59
osos polares 8, 11, 30-31, 36

P
pájaros 48-49, 50
pájaros guías de miel africanos 22
parásitos 20, 22, 26-29
patos 61
peces de boca de anguila 17
peces hacha 17
pepinos de mar 24
percebes 22, 25
picabueyes 22
pingüinos 9, 51, 54-55, 56, 61
pingüinos de Magallanes 51
pingüinos emperador 9, 54-55, 61
pingüinos macarrón 56
piojos de cabezu 29
piojos cangrejo 29
piojos de salmón 26
pitones 55
pulgas gatunas 29
pulpos 16
pulpos Dumbo 16

R
ranas 9, 14, 54
ranas contenedoras de agua 14
ranas de Darwin 54
ranas de madera norteamericanas 9
ratas canguro 12
ratas negras 37
regiones polares 6, 8-9, 42
rémoras 20, 24

S
salmón 50, 59
salmón rosado 26
saltarines playeros 33
sanguijuelas 29
sapos de Surinam 55
solitarias 28, 29
suricatas 60

T
tarántulas 27
tejedoras verdes 49
tejones de miel 22
termitas 39
tiburones 20, 33, 50, 51
tiburones azules 51
tiburones tigre 33
tigres 24
tigres de Bengala 24
toros almizcleros 9
tortugas 42
tortugas del desierto 12
tortugas marinas 22-23, 50

V
víboras 11, 12
víboras de cascabel 12
víboras de lazo 11

Y
yaks 19

Z
zarigüeyas 59
zorros 36

Créditos

Clave si=superior izquierda; s=superior; sc=superior centro; sd=superior derecha; ci=centro izquierda; c=centro; cd=centro derecha; ai=abajo izquierda; ac=abajo centro; ad=abajo derecha; f=fondo

CBT = Corbis; GI = Getty Images; iS= istockphoto.com; NHPA = NHPA/Photoshot; NGS = National Geographic Stock; NPL = Nature Picture Library; SH = Shutterstock; TPL = photolibrary.com

FOTOGRAFÍAS
Portada **TPL**

26 a **CBT**; 6-7, 8ai, 14-15sc, 18-19, 19sc, 29ad, 35sd, 38i, 38-39f, 40-41, 46si, 52-53, 61sd, 62sd **GI**; 58-59 iS; 11sd, 12-13, 44-45, 47s, a, 63ad **NHPA**; 24-25 **NPL**; 4si, 10-11f, 15f, 16-16f, 20-21, 28-29f, 57sd, 58c, 61si **SH**; 2ai, 5ad, 8cd, 10ci, 15d, 16i, 22c, 23si, 26sd, 28ai, 28-29 a, 29s, sd, 30-31, 32 a, 32-33, 34 a, 34-35, 36i, 44c, 45sd, 46 a, 46-47s, 48c, 48-49, 49si, s, ad, 50-51, 51ad, 54 c, a, 54-55, 55s, 57si, 58ad, 62si54 c, a, 54-55, 55s, 57si, 58ad, 62si

ILUSTRACIONES
Peter Bull Art Studio 9a, 56i; **Leonello Calvetti** 9ai, 27; **Martin Camm** 60-61; **Robin Carter/The Art Agency** 43sd; **Brin Edwards/The Art Agency** 34sd; **Simone End** 15 a; **John Francis** 14i; **Ray Grinaway** 15s; **Steve Hobbs** 3d, 38-39, 39d, 43 a; **Stuart Jackson-Carter/The Art Agency** 14 a; **Ian Jackson/The Art Agency** 18cd, 26si, ad, 36ai; **David Kirshner** 1 a, 3ai, 9ad, 13ad, 16-17, 26ai, 50ai, 56-57 a; **Frank Knight** 19si, 58ai; **James McKinnon** 25si, s, sd; **Magic Group** 3si, 32i, 43si; **Rob Manzini 50ad; Terry Pastor/The Art Agency 12ai,** 33s; **Polygone/Contact Jupiter** 8ad, 11ad; **Mick Posen/The Art Agency** 23d, 42i, ai; **Barbara Rodanska 37sc; Trevor Ruth** 33d, 44-45; **Claude Thivierge/Contact Jupiter** 22ai, 24i; **Guy Troughton** 4ad, 8-9s, 10ad, 12c, 18ai, 19sd, 24ai, 37si, a; **Wildlife Art** 51sd